Eochair/Key to IPA (International Phonetic Alphabet) symbols used

Ciallaíonn [ː] go bhfuil an guta fada

[a]	asal	
[aː]	ápa	
[ɔ]	orgán	
[ɔː]	ór	
[u]	ulchabhán	
[uː]	úll	
[ɛ]	Eithne	
[ɛː]	éan	
[i]	inneal	
[iː]	Íde	
[ə]	órga, na, mo	
[ɪə]	iasc	

Ciallaíonn [´] go bhfuil an consan caol

[b]	bó, bpúca
[b´]	bibe, bpíce

[k]	cat
[k´]	císte
[d]	doras, dtúr
[d´]	dísle
[f]	fál, phóca
[f´]	fear, phiscín
[g]	gob, gcat
[g´]	gé, gcíste
[h]	hata, thúr, theilifíseán, shop
[l]	lón
[l´]	leon
[m]	muc, mbosca
[m´]	mil
[n]	náid, ár ndoras
[n´]	nead, ndísle

[p]	póca
[p´]	piscín
[r]	rí rua
[r´]	i dTír
[s]	sop
[s´]	sióg
[t]	tor
[t´]	teilifíseán
[v]	vása, bhán, mhuc
[v´]	veidhlín, bhibe, mhil
[χ]	chat
[χ´]	chíste
[ɣ]	ghob, dhoras
[ɣ´]	ghé, dhísle
[ŋ]	ngob
[ŋ´]	ngé

A

Asal   **Ápa**

Á

a

á

[a]

[aː]

Á

Asal Ápa

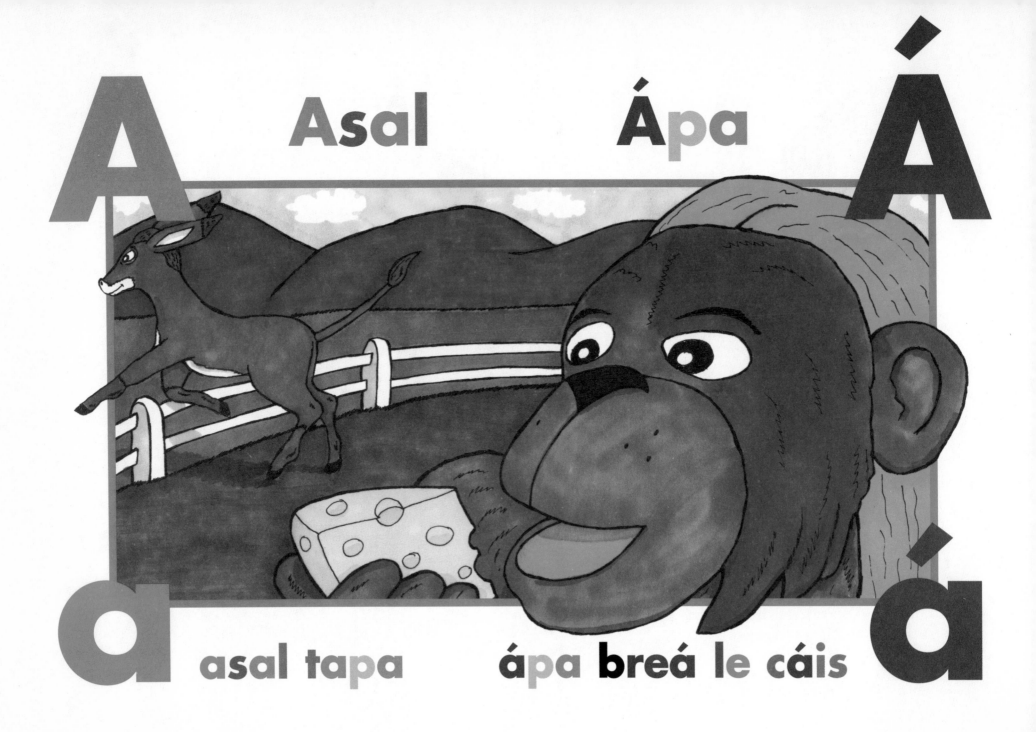

asal tapa   ápa breá le cáis

B **Bó** **BH**

b **bh**

bó bhán ag an bpúca

[b]   [v]

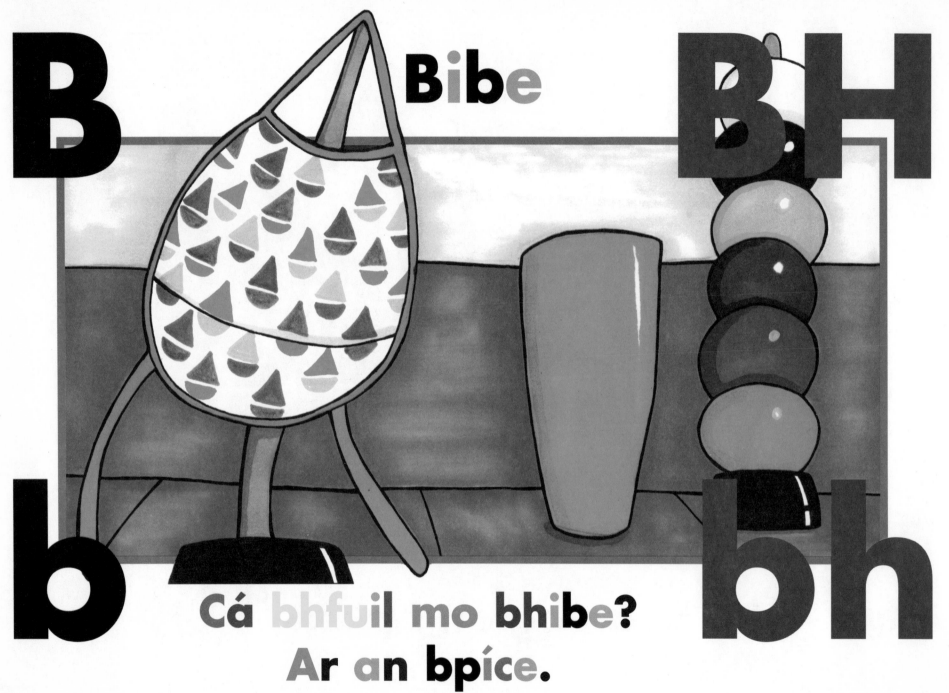

B

b

Bibe

BH

bh

Cá bhfuil mo bhibe?
Ar an bpíce.

[b´]

[v´]

Cat

cáis don chat

[k]

[x]

C

CH

Císte

coinneal ar chíste

c

ch

[kʲ]

[χʲ]

Doras

asal ar dhoras
ápa i dtúr

[d]

[ɣ]

Dísle

D **DH**

d dh

Cá bhfuil mo dhísle?
I dTír na nÓg.

[dʲ]

[ɣʲ]

E

Eithne

Éan

É

[ɛ]

[ɛː]

e

é

E

Teidí

Cré

É

cré ag Teidí

e

é

F

Fál

FH

f

fh

fál an-fhada

Fear

fear fiáin

Gob

Cá bhfuil mo ghob?
Ar an gcat.

[g]

[ɣ]

G | GH

Gé

g | gh

Cá bhfuil an ghé?
Ar an gcíste.

[g´]   [ɣ´]

Hob   Hé

hata ar Hob   húda ar Hé

[h]   [h]

Inneall

inneall mór dearg ag Barra

iasc

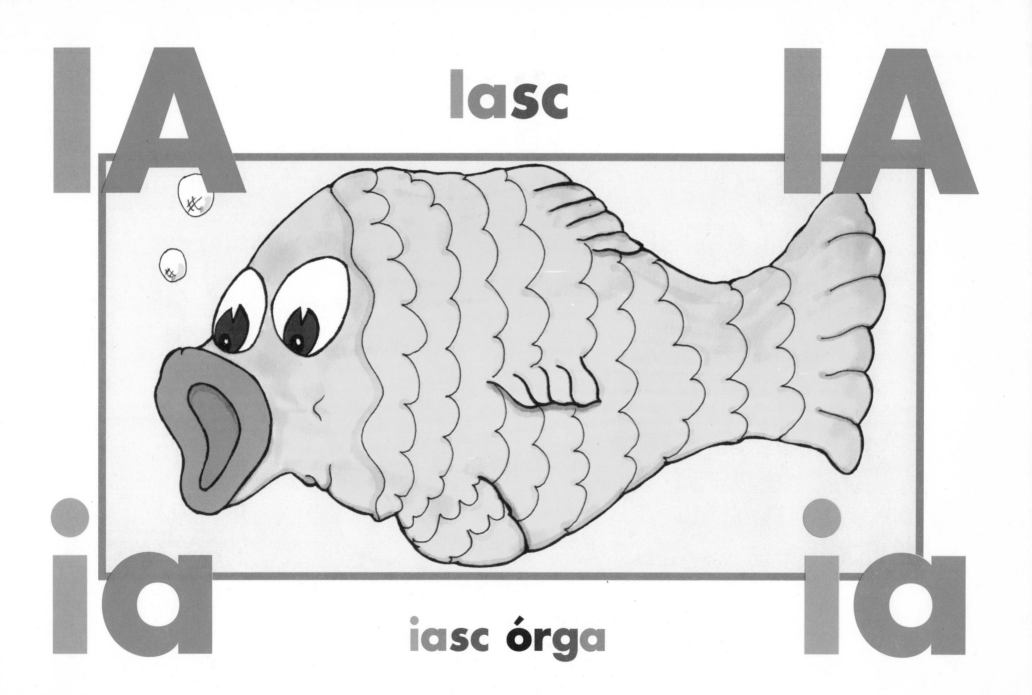

iasc órga

[iə]

[iə]

Ite

Cá bhfuil an bia?
Ite, ite.

Íde

Íde ina suí. Cén aois í?
Tá cíor buí aici.

Lón

Tá lón Íde ite.

Leon

leon ag lón

M

Muc

MH

m

mh

muc i mbosca
Cá bhfuil an mhuc?

[m]   [v]

N Nead NG

n ng

Tá ár ngé ar an nead.
Tá ár ndísle ar an ngé.

[n´]   [ŋ´]

Orgán

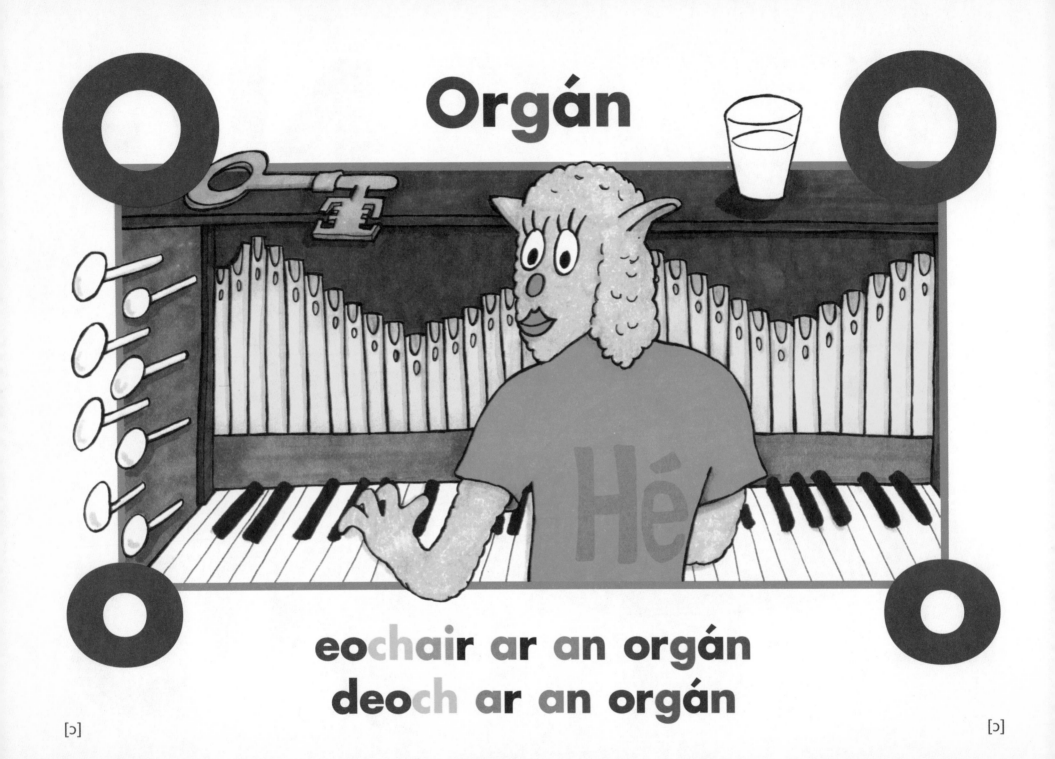

eochair ar an orgán
deoch ar an orgán

Ór

ór agus rós

[ɔː]

[ɔː]

Póca

P

PH

p

ph

púca i mo phóca

[p]

[f]

P **Piscín**

P PH

p

bibe ar phiscín

p ph

[p′]   [f′]

ribe an rí rua

Sop

Cá bhfuil mo shop?

[s]

[h]

S

Sióg

Lios na Sí

S

S

sióg ag Lios na Sí

S

[s´]

[s´]

Tor

TH

th

tor ar thúr

[t]

[h]

Teilifíseán

teileafón ar theilifíseán

[t´]

[h]

Ulchabhán   Úll

úll ar ulchabhán
úll ag luch

[u]

[u:]

Vása   Veidhlín

vása deas
vása agus veidhlín

[v]   [v́]